ALEX

MIEL   MILLECAMPS   TEFENKGI   VANYDA   YOU

F

NORMAL LOAN PB

Remember to return on time **or** renew at
https://icity.bcu.ac.uk/ or
http://www0.bcu.ac.uk/library/public/
or **24 Hour Renewals: Tel 0121 331 5278**
Items in demand may not be renewable

HA

GALES

TO LET

Vaya «carroza» tan impresionante.

¿A qué debo este inmenso placer, Alex? ¡Hacía siglos que no te veía!

Tenía que hacer un reparto por la región… Así que he aprovechado para dar un pequeño rodeo y pasarme por casa de mi adorada abuelita.

¿Y qué tal te va el trabajo?

No muy interesante que se diga, un contrato temporal por aquí, otro por allá…

¿No echas de menos el campo?

Pues un poco sí que lo echo de menos… sobre todo tus pastelitos hechos con la miel del tío George.

¿Qué tal está? ¡Ya he visto el cartel de alquiler!

Creo que se marcha a una residencia de ancianos… No porque él quiera, sino un poco obligado por sus hijos. El propietario va a reformar la casa de arriba abajo y le piensa subir el alquiler.

Qué lástima… Esa casa es toda su vida…

Y PARTE DE LA TUYA TAMBIÉN ALEX… ¿TE ACUERDAS DEL EPISODIO DE LA COLMENA CUANDO TENÍAS SIETE AÑOS?

¡Cómo no me iba a acordar! ¡Fue mi peor pesadilla!

VEINTICINCO AÑOS ANTES

¡¡¡OH, NO!!!

¡¡¡SOCORRO!!!

¡¡¡EEEEEEEH!!!

¿Qué hace? ¡¡Suélteme!!

¡Tienes mucha suerte, chico! ¡Pero la furia de todo un enjambre de abejas no es nada comparada con el buen rapapolvo que te va a echar tu abuela!

¡Si el tío George lo supiera! ¡No tuve valor para castigarte, después del mal rato que pasaste!

¡Sí, puedo asegurarte que me sirvió de lección!

Es un poco brutote, pero tiene buen fondo…

Y es curioso, pero creo que me cogió simpatía desde entonces. Me enseñó todos sus trucos y secretos de apicultor.

Yo creo que el hecho de tener a las abejas por toda compañía le acababa alterando los nervios.

Le voy a hacer una visita.

¡Buena idea! ¡Seguro que le gustará mucho!

¡Ah, eres tú, chico! Ya creía que era el propietario de la casa que venía en ese camión a echarme…

¿Qué tal está, tío Georges?

¡Entra, ven a beber una copa! ¡Vas a probar mi hidromiel! Se ha hecho famoso este año.

¡Buenísimo, en efecto!

¡Venga, vamos a ver las abejas ahora!

Mi abuelita me ha hablado un poco de la situación… ¿Cuándo se marcha? ¿Y qué va a ser de las colmenas?

El propietario me ha dado tres meses.

¡Qué pena, una miel de tanta calidad! ¡¿Y todo esto va a desaparecer?!

A no ser que…

A no ser que… ¿qué?

A no ser que tú te hicieras cargo de mi pequeño negocio. Las abejas y tú hace mucho que os lleváis muy bien… Y yo te lo he enseñado todo.

¿Con qué dinero? Si estoy sin blanca. Lo único que tengo son unos préstamos que no consigo quitarme de encima.

Podríamos apañárnoslas…

¡No sé muy bien cómo! Y si usted se queda, necesitará más dinero para pagar la subida del alquiler tras la reforma.

EN FIN, PENSAREMOS EN ELLO…

¡Es increíble! Me ha propuesto hacerme cargo de su negocio…

¡Pero si no tengo ni un duro!

¡Es una magnífica idea! Creo que deberías pasarte por un banco…

CARDIFF

No acabo de verlo muy claro. No hay plan empresarial… no hay garantías… y, además, yo no tengo autoridad… Lo que voy a hacer es pasar el dosier a la sede central… pero, sinceramente, me sé de antemano la respuesta.

¡La cosa no va a ser nada fácil!

CRÉDITOS

Con todos los créditos que tiene a sus espaldas, es imposible. ¿Pero por qué no acude a una banca especializada en microcréditos para la creación de empresas? Tenemos una aquí en la ciudad… Mire, aquí está la dirección.

CYMRU INVEST

Ha llamado usted a la puerta adecuada. Pero aún tiene que hacer algunos trámites: preparar su dosier, desarrollar sus argumentos, cuadrar las cifras, hacer previsiones. Si lo desea, puede recibir ayuda para realizar todas estas tareas.

Trabajamos en estrecha colaboración con un centro apoyado por un fondo europeo. Su misión es ayudar a los emprendedores que desean poner en marcha un negocio pero que, por diversas razones, no consiguen que los bancos tradicionales les escuchen ni les apoyen.

Vamos a ver, esto es lo que yo le propongo…

NUEVE MESES DESPUÉS

¿Ve qué bien hice en prever las cosas a lo grande? ¡Casi hemos duplicado la cosecha!

La verdad es que me cuesta admitirlo, ¡pero tu hidromiel es casi mejor que el mío!

¡CHIN, CHIN!

¡Bueno, aún no hemos terminado, pero tengo que irme a hacer un reparto!

Si lo hubiera sabido antes, me lo habría pensado dos veces antes de atravesar el seto a escondidas.

¡Pues sí, demasiado tarde! La curiosidad es un defecto muy feo. Tu abuela debería haberte vigilado mejor, ¡ja, ja, ja!

NATALINE

Mille
Camps

¡Por fin! ¡Ya no podía más! ¡Una jornada como esta abre el apetito!

¿No comes nada, Nataline?

No, no sé lo que tengo… No estoy muy en forma que digamos estos últimos tiempos.

Esta sesión de fotos me ha agotado. ¡Me vuelvo al hotel!

¿Estás de broma? ¡Ni hablar! Esta noche estamos de fiesta… ¡Venga, Nataline, no te hagas la princesita!

¿Qué bebéis? ¿Mojito para todas? ¡Invito yo!

¡A tu salud, Nataline!

AL DÍA SIGUIENTE
POR LA MAÑANA

AEROPUERTO DE
RIGA, LETONIA

¿Estás bien, Nataline? Tienes peor cara que en el anuncio…

Sí… Vale, ¡ya basta, chicas! ¡Me agotáis! ¡Fuisteis vosotras las que insististeis para que saliera ayer!

Además, yo…

¿Nataline? ¿Nataline?

¿Cómo se siente, señorita?

Muy, muy cansada.

Tiene usted todos los síntomas de un síndrome de agotamiento profesional. Lo único que puedo aconsejarle es reposo, reposo y nada más que reposo. Por lo menos durante unas semanas.

¿A qué se dedica usted?

Soy modelo. Desde hace ocho años.

Que no existen en realidad… Siempre teniéndote que adaptar a la diferencia horaria… Pero son los gajes del oficio…

Seré muy franco con usted. Creo que debería plantearse otra actividad… Cambiar radicalmente de vida. Lo que acaba de ocurrirle es muy serio.

Le sugiero que se ponga en contacto con uno de nuestros psicólogos.

¿Y eso, en cuanto a horarios, qué quiere decir?

¡Hola! No tendrás algo suelto... ¡antes de que ponga una bomba en esta máquina! ¡Tengo mono de chocolate!

Creo que un poco de magnesio no me vendría mal tampoco...

¿Y tú, por qué estás aquí?

Demasiados excesos de toda clase... ¿Y tú?

A mí lo que me ha machacado es la vida nocturna... Soy camarera de discoteca... Casi me había olvidado de que existía la luz del día antes de venir a parar aquí...

Es un centro financiado por Europa: dan clases de formación. Podrán ayudarle a reorientar su carrera. Debe pensar en sí misma y en su salud.

TRES DÍAS MÁS TARDE

¡Hola!

¡Ah, yo te conozco! ¡El terror de las máquinas distribuidoras de chocolate!

¿Señorita Lengel?

Entiendo que todo esto haya ido muy rápido para usted. Pero estamos aquí para ayudarle a construir su futuro.

Es verdad que me siento un poco perdida…

¿Qué titulación tiene?

He estudiado Historia del Arte, pero interrumpí mis estudios para hacerme modelo.

Cuando era niña, ¿soñaba con trabajar en alguna profesión en concreto?

No sé, en cualquier caso nunca en la profesión de modelo…

No, lo que más me interesaba era el comercio. Mis padres eran autónomos. Yo siempre he tenido ganas de tener mi propio negocio… Pero ahora es un poco tarde. No tengo la más mínima noción de gestión.

Nunca es demasiado tarde. Nosotros impartimos, con ayuda de Europa, cursos de gestión que son una sólida base para poner en marcha un proyecto personal. Es solo una cuestión de motivación y tiempo.

Tiempo es justo lo que me sobra ahora. Y también tengo un poco de dinero ahorrado. Trabajaba en una profesión muy bien pagada.

¡Perfecto!… La formación corre de nuestra cuenta. Y a usted le toca pensar y madurar el proyecto.

¡¡Ah!! ¡Decididamente, no hay forma de perderse de vista!

Siéntate, te invito a una copa.

Nataline, encantada.

Yo me llamo Julia. Así que, ¿tú también te has «confesado» con ellos? ¿Qué piensas hacer?

Aún no lo sé, pero por el momento dejo de ser modelo. Tengo que llevar una vida más sana. Me voy a inscribir en ese curso de gestión. No tengo nada que perder.

La gestión no es lo mío… pero yo también voy a pasar página… Se acabó la vida nocturna; ahora lo que me apetece es recuperar mis primeros amores. Siempre me ha encantado cocinar.

Hablando de cocina, me zamparía ahora mismo una buena ensalada. ¿Adónde podríamos ir?

Los restaurantes de por aquí no son gran cosa…

Tengo una idea mejor, ¡ven!

¡Magníficas verduras!

¡Y, además, casi todas ecológicas!

¡Te voy a preparar una ensalada para chuparse los dedos!

No vivo muy lejos de aquí.

¡Ponte cómoda! ¡Yo me encargo de todo!

¡Ni hablar! Quiero ayudarte o al menos verte manos a la obra.

¡Haces verdaderos milagros con dos verduras mal contadas, Julia! ¡Me estás dando una idea!

¿Sabes?, es una cuestión ante todo de calidad y frescura de los productos… Pero dime, ¿de qué va tu idea? Te estoy viendo venir y creo que me va a interesar.

¡Esto sí que es un verdadero tomate! ¡¡¡Qué bien sabe!!!

¿Entonces nos garantiza que podemos contar con dos cajas diarias de frutas y verduras?

Sí, mi sobrino será quien les lleve el pedido.

¡Muy bien! Entonces, trato hecho. ¡Hasta pronto!

La cosa no se presenta nada mal, ¿no?

¡Ya estoy impaciente por empezar!

Ahora vamos al centro de la ciudad, al salón «Productos ecológicos regionales». Hay un productor de miel de Gales al que me gustaría conocer.

UNOS DÍAS MÁS TARDE

¡Espera, Julia! ¡Hay que inmortalizar este momento!

¡Ahora tú!

¡Magnífico, Nataline! ¡Parece como si hubieras estado haciendo esto toda tu vida!

Bueno, bueno, ¡parece que la cosa ha empezado bien!

¡Y espera! Esto no es más que el inicio… Podríamos lanzar nuestra propia marca de productos «bio» y abrir una sección de comestibles… ¡Y no te preocupes, aún tengo más ideas en la recámara…!

IVANA

SIHANOUKVILLE, CAMBOYA

¿Me coges 12 cigalas, Ivana? ¡Te las dejo a buen precio!

¡Son magníficas, Chhim! Te cambio esta que me he hecho yo misma por seis de las tuyas, ¿vale?

La venderé a un turista.

Desde luego, se te dan mejor los negocios que a mí.

Ivana...

Te llaman de Italia.

33

Sí,
soy yo…

Soy el notario
Ferreri. Me ha
costado mucho
encontrarla. La
llamada es por
su padre.

Ha muerto.
Le expreso a usted
mi más sentido
pésame.

… ¿Cuándo
ocurrió?

Hace ya tres
semanas. Sería necesario
que se presentara aquí,
en Milán, para arreglar las
formalidades de
la herencia.

Si no tengo
siquiera con qué
comprarme una
cerveza, cómo voy a
conseguir un billete
para Milán…

Vamos a hacer
una colecta
entre todas,
Ivana.

Sois
superamables,
chicas. Os devolveré el
dinero y sus intereses
con creces, cuando
se haya solucionado
todo.

¡¡Pero qué hace mi mochila ahí?!

Había reservado para una noche nada más, ¿no?

Hay que dejar libres las habitaciones a las 11. Es el reglamento.

Venga a resguardarse aquí, majestad.

Gracias, me acaban de echar del hotel y no sé dónde pasar la noche…

No me queda ni un duro encima.

¡Que no cunda el pánico! Le ofrecemos nuestra humilde morada, princesa. ¿Un traguito para recobrar fuerzas?

Ha dejado de llover. Ya podemos ir a nuestro apartamento.

Ven, está a diez minutos de aquí.

Es bastante modesto, pero se está muy tranquilo…

Al menos hasta ahora.

¡Brrrrr! No hace mucho calor que se diga… Pero hay que reconocer que estáis bien instalados.

¿Qué son todas esas cajas llenas de telas?

Ah, eso. Son desechos de la fábrica de al lado.

Los tiran todos los días en contenedores, y nos hemos dicho que podrían sernos útiles.

Son de buena calidad. ¿Tenéis tijeras?

Oye, espera... ¿Qué estás tramando?

Esta noche va a helar. Voy a intentar coser estos retales, para que podamos protegernos un poco del frío.

¡Gracias!

Tengo hilo y aguja en mi mochila; el resto dejadlo en mis manos... ¡Confiad en mí!

Por cierto, ¡me llamo Ivana!

¡Hola, Ivana!

¡Bienvenida, Ivana!

Bueno, amigos, si me encontráis más trozos de tela, me iban a venir fenomenal.

¡Menudo festín se van a pegar otra vez tus protegidos favoritos!

Sí, ya lo sé. Va contra las reglas, pero no puedo evitarlo, ¡son adorables!

¡Vaya, eso es una verdadera obra de arte! Desde luego se te da muy bien. ¡Me gustaría tener uno igual!

¡Esta chica es una mina de oro, qué caramba!

Con mucho gusto haré uno para cada uno de vosotros. Pero me tenéis que echar una mano.

Y esa es toda mi historia…

Y uno de los objetivos del proyecto es, precisamente, ayudar a personas con talento como tú.

Sinceramente, creo que deberías pasarte por el centro Piccolo Mondo.

Hemos recibido una ayuda del Fondo Social Europeo para abrir una tienda de venta de ropa de segunda mano.

Y ahora… ¡¡Sorpresa!!

¡¡Feliz cumpleaños, Sergio!!

¡Mira por dónde, a mis cincuenta años he tenido la mejor fiesta de cumpleaños de mi vida!

¡¡Que cumplas muchos más!!

DIMITRA

SIBIU, RUMANÍA

Ya está, hemos terminado. Puedes volver a jugar, Raluca. Pero ten cuidado, ¿eh?... La herida no está aún del todo cicatrizada.

¿No te sientes bien?

Si quieres ayudarme, tiende la ropa para que se seque.

¡Un besito para animar a mi papá favorito!

¡Prueba estas fresas, mi pequeña Malva!

¡AY!

¿Y qué haces ahí? Tienes pinta de estar aburrida…

No, pero a veces no se está muy bien en casa. Cuando mi madre pierde los nervios, ¡prefiero estar lejos!

Todo un carácter, tu mamá. No parece de trato muy fácil…

Es por el bebé que está esperando. ¡Cuando le duele, se altera mucho!

¡Entonces es absolutamente necesario que se pase por nuestro centro!

¡Es una pérdida de tiempo! ¡Como decida que no, no habrá manera de hacerla venir!

Habrá que encontrar una solución de todas maneras.

¿Y tú? ¡Háblame un poco de ti!

¿Cómo te va en la escuela?
¿Ya sabes qué quieres hacer de mayor?

¡Sí, dar la vuelta al mundo!

Bonito proyecto. ¡Pero antes habrá que pensar en estudiar y luego trabajar, digo yo! Te hará falta dinero para viajar.

¡De mayor quiero ser capitán de barco!

¿Y me llevarás en tu barco?

¡Claro! ¡Ya lo tengo dibujado! ¿Quieres verlo?

¡Por supuesto! Ven al centro mañana al terminar las clases y así me lo enseñas.

¿Estás bien, mamá?

Sí, sí... Solo necesito un poco de reposo... ¡¡Ay!! ¡Dios mío!

¡¿Por qué no vas a ver a un médico?!

Déjame en paz. Vete a jugar fuera.

AL DÍA SIGUIENTE

Ah, eres tú, Malva. Me alegro de verte.

¿Has traído los dibujos?

¡Sí, varios!

... ¿Y entonces, a qué esperas para enseñármelos?

¡Mira, Nora, soy yo, el capitán!

¡Estás muy mona así, con tu uniforme! ¡Y me gusta mucha el camarote en forma de casa!

Si tienes más dibujos, iré a verlos a tu casa. Así tendré una excusa para intentar convencer a tu madre de que vaya al médico... ¿Qué te parece?

¡Guay! ¡Así te enseñaré mi casa!

¡No dejen de tocar, por favor! ¡¡Es magnífico!! ¿No es una pieza de Grigoraş Dinicu?

Sí, ¡¿la conoce?!

Me gusta más veros bailar que pegándoos entre vosotras… ¡Lo hacéis con mucha más gracia!

¡Buenos días, señora!

Es Nora, mamá. Viene a ver mis dibujos.

¿Puedo hacerla pasar? Por favor…

Humm… Está todo desordenado, no me esperaba…

No tiene de qué preocuparse.

¡Eso que está preparando huele tremendamente bien, señora!

Llámeme Dimitra.

¡Es ragú!

¡Lo que más me gusta son las cebollas y las zanahorias!

¡¡¡AYYY!!!

¡Mami! ¡Socorro! ¡Me he cortado! ¡¡¡Me está saliendo sangre!!!

¡Ven aquí!

Menos mal que llevo siempre conmigo mi botiquín de primeros auxilios… ¡Deformación profesional!

¡Gracias! ¡¡Gracias en su nombre!! Y también por la pequeña…

¿Y su embarazo, cómo evoluciona?

Bueno, no puede decirse que vaya de maravilla. Es diferente a los demás… A veces me duele mucho, y me tengo que acostar.

Prométame pasarse mañana por el centro. Le hablaré de usted al médico… Ya verá, es muy amable y competente.

No me gusta andar pidiendo limosna… No tengo dinero.

No se preocupe, Dimitra. Nos financia el Fondo Social Europeo. La atención es gratuita.

57

SEIS SEMANAS DESPUÉS

¡¡AAAAAAAAH!!

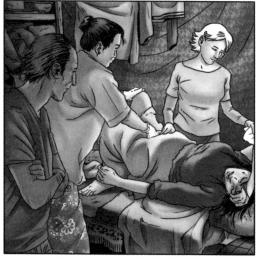

¡¡BUAAAAAAAAA!!

Es una niña: Gabriela.

AL DÍA SIGUIENTE

¡Qué vestido tan mono!

Gracias, chicas. Lo ha hecho Ivana, una amiga de mi madre que vive en Italia.

¡Hola, Nora!

Para ampliar la información

Alex, Nataline, Ivana y Dimitra han conseguido cambiar el curso de su destino gracias a la ayuda de los programas financiados por el Fondo Social Europeo (FSE).

Pero ¿qué es el FSE exactamente?

El FSE nació hace más de cincuenta años, en 1957. Es el principal instrumento financiero de que dispone la Unión Europea para invertir en recursos humanos. Su objetivo es promover el empleo mejorando las perspectivas de los trabajadores. Apoya, por ejemplo, a las personas con dificultades específicas para encontrar empleo, como las mujeres, los jóvenes y los trabajadores de edad avanzada. También ayuda a las empresas o a los jóvenes emprendedores. El Fondo invierte asimismo en educación y formación durante toda la vida.

El FSE no trabaja solo, está en el centro de una colaboración entre diferentes partes. Los proyectos que fomenta son cofinanciados por los Estados miembros y propuestos por centros de enseñanza y formación, asociaciones, sindicatos, etc., y las autoridades nacionales seleccionan los proyectos para responder a las necesidades específicas de los distintos países y regiones.

Actualmente, el FSE es un verdadero éxito. Cada año se invierten 10 000 millones de euros para financiar los distintos proyectos de los 27 Estados miembros. Esto permite mejorar la vida de 10 millones de personas al año, ayudándoles a encontrar un empleo o a progresar.

De la realidad a la ficción

El cómic *Puesta en marcha* está inspirado en hechos reales. La Comisión Europea ha recopilado el testimonio de 54 ciudadanos europeos que se han beneficiado de los programas financiados por el FSE. Cuentan ante la cámara cuáles han sido sus trayectorias formativas y profesionales y cómo han accedido a nuevas oportunidades en materia de empleo y formación. Puede consultar estos testimonios visitando la web: http://ec.europa.eu/employment_social/esf/video/videos_es.htm

Los autores

Guión

Rudi Miel

Nacido en Tournai (Bélgica) en 1965, Rudi Miel es licenciado en periodismo. Asesor de comunicación y guionista de cómics, es coautor del título *Aguas turbias*, publicado por el Parlamento Europeo, premio Alph Art de la comunicación en el festival de Angulema de 2003. También es guionista de la obra *L'arbre des deux printemps (El árbol de las dos primaveras)*, con dibujos de Will & Co, editorial Le Lombard, que fue galardonada con el premio a la mejor obra extranjera en el festival de cómics de Sobreda (Portugal) de 2001. Rudi Miel también es coautor, junto a C. Cuadra y P. Teng, de *L'ordre impair (El orden impar)*, editorial Le Lombard, cuyo volumen integral se publicó a finales de 2009. Para escribir *Puesta en marcha* ha contado con la colaboración del guionista Jean-Luc Cornette.

Dibujos

Maud Millecamps — Nataline

Nacida en Charleroi en 1982, Maud Millecamps es titulada por el Instituto Saint-Luc de Lieja y la Academia de Bellas Artes de Bruselas. Participó en el volumen colectivo *Amour & désir (Amor y deseo)* de la editorial La Boîte à Bulles (2008), antes de firmar su primer cómic, *Les gens urbains (Gentes urbanas)*, publicado por la editorial Quadrants en 2010, con guión de Jean-Luc Cornette. Maud vive en Bruselas.

Alexandre Tefenkgi — Alex

Nacido en 1979, Alexandre Tefenkgi es originario de Montpellier. Tras estudiar en la Escuela Saint-Luc, conoció al dibujante Mauricet, con el que actualmente trabaja en el mismo taller. Firmó varias historias cortas en la revista *Spirou* antes de publicar su primer cómic, *Tranquille courage (Tranquila valentía)*, en la editorial Bamboo.

Vanyda — Ivana

Vanyda, de origen franco-laosiano, nace en 1979. Durante sus estudios en la Escuela de Bellas Artes de Tournai, rama de cómics, conoce a François Duprat, con quien colabora en la serie *L'année du dragon (El año del dragón)*, editorial Carabas, y quien firma los decorados de *Ivana* (colorista: Virginie Vidal). En sus cómics, desarrolla un universo intimista y contemporáneo, como en *L'immeuble d'en face (El edificio de enfrente)*, editorial La Boîte à Bulles, que trata del día a día de unos vecinos de escalera, o en la serie *Celle que... (Esa que...)*, editorial Dargaud, que cuenta la evolución de una adolescente del colegio al instituto.

You — Dimitra

Nacida en Corea del Sur en 1978, You es una dibujante autodidacta. Tras realizar una formación en infografía, ilustró varios libros infantiles, de los que tres se publicaron en la colección Moi je sais (Yo sé), de la editorial Auzou. Su primer cómic apareció en la serie *Sorcières (Brujas)*, de Dupuis. En la actualidad está preparando un nuevo relato para el mismo editor, ambientado a finales del siglo XIX.